Mon v[illegible] est un monstre

Une histoire
d'Emmanuelle Cabrol

Illustrations
d'Henri Meunier

D’abord on joue !

Les lettres de l’alphabet se sont cachées.
Cherche les lettres du mot **PLUTON**.

Quelques indices : regarde bien la pelouse, les maisons, la fusée, les arbres et les étoiles !

Bravo !

Dis ces mots qui désignent des bruits.

paf	bzzz	clic-clac
boum	hi-han	toc-toc
cui-cui	clap	tic-tac
tût-tût	glouglou	hou-hou
plouf	ding-dong	

Et si on racontait n'importe quoi ?

Timéo fait toc-toc ! Ding-dong ! Il tape ici. Boum ! Et là. Paf ! Manok fait cui-cui, bzzz, hou-hou. Plouf ! Il coule… glouglou. Aïe aïe aïe !

Facile !

Amuse-toi maintenant à dire ces mots.

baba bébé bibi bobo coco kiki
pipi pépé papa tata titi toto

Relie l'image au bon mot.

la viande **le poisson** **le pain**

Sais-tu...

... qui coupe la ? Le **boucher**.

... qui fait le ? Le **boulanger**.

... qui vend du ? Le **poissonnier**.

**C'est le bazar,
tout est mélangé !**

Cache les lettres **B** et **Y** pour découvrir le titre de ton histoire !

**MonBvoiYsin
estBunYmonBstre**

Un peu de **gym** !

Be pe te ke be pe te ke be pe te ke

Quelle histoire !

Timéo dit quelque chose
au boulanger

qui le dit à l'épicier

qui le dit au boucher

qui le dit au poissonnier.

**Qu'est-ce que c'est
que cette histoire ?**

Et maintenant, ton histoire !

Mon voisin est un monstre

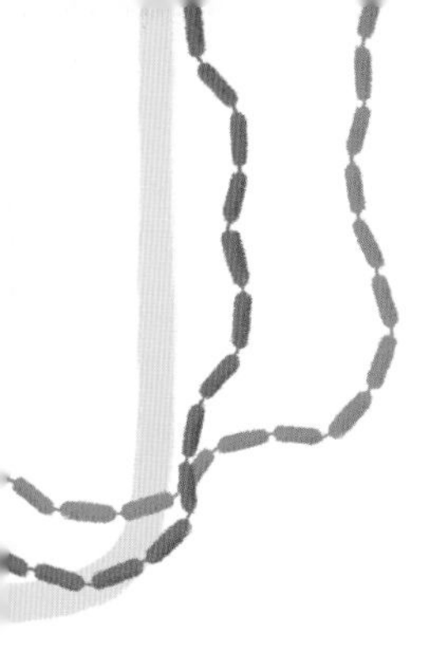

Dans son village, Timéo
aime bien **papoter**.
Avec le boulanger, l'épicier,
le boucher, le poissonnier.

Et ce matin, Timéo a quelque
chose à raconter :
– Mon nouveau voisin est gros
et grand, c'est un ogre sûrement !

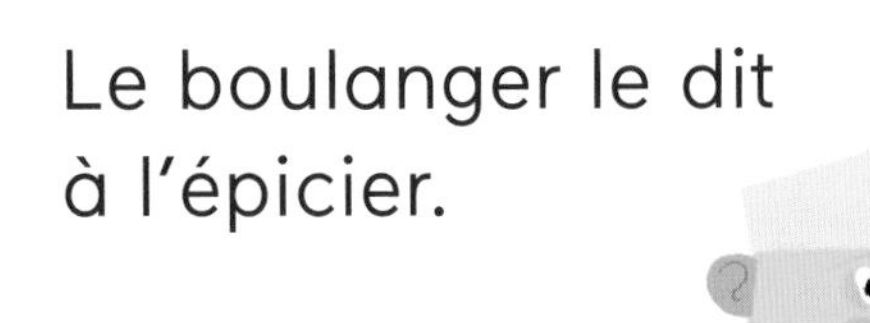

Le boulanger le dit
à l'épicier.

L'épicier le dit
au boucher.

Le boucher le dit
au poissonnier.

Et bla-bla-bli et bla-bla-bla...
Le bruit court qu'un ogre habite
le village !

Le nouveau voisin s'appelle Manok.
Manok est dans son jardin quand
il voit la fille du boulanger.

Elle vient
de tomber !

– Attends ! Je vais
t'aider ! dit Manok.

Affolée, la petite fille s'enfuit vers la boulangerie.

– **Papa, un monstre me poursuit !**

Ce monstre a une bouche énorme !

Il est tout vert !

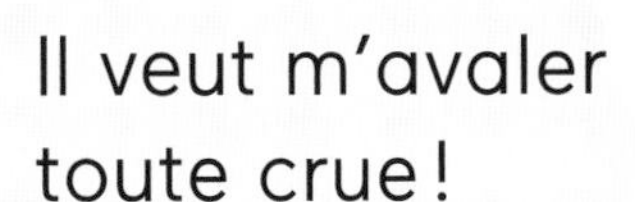

Il veut m'avaler toute crue !

Le boulanger le dit
à l'épicier.

L'épicier le dit
au boucher.

Le boucher le dit
au poissonnier.

Le bruit court qu'un monstre
habite le village !

ulami

En pleine nuit, Timéo entend
du bruit. Il regarde par la fenêtre.
Manok gare une soucoupe volante
dans son jardin !
« Je dois rêver ! » songe Timéo.

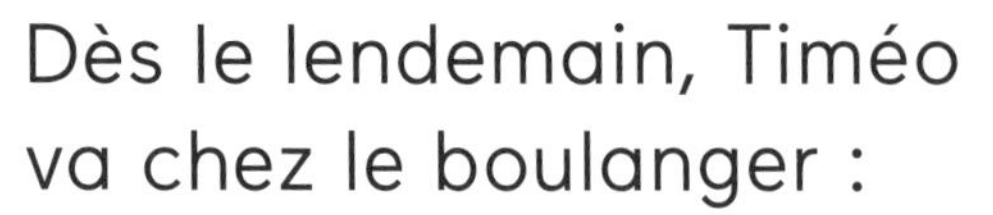

Dès le lendemain, Timéo
va chez le boulanger :

– Le nouveau voisin est
un Martien, il a une soucoupe
volante dans son jardin !

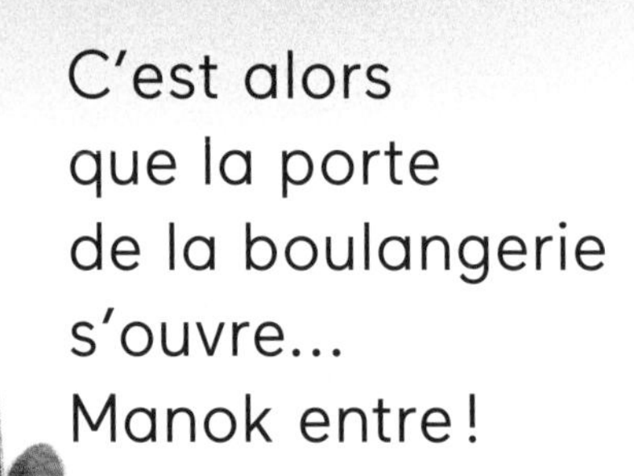

C'est alors
que la porte
de la boulangerie
s'ouvre...
Manok entre !

– Un Martien ?
dit Manok. Ha, ha !
Non, moi, je viens
de la planète Pluton...

Et, comme je suis
nouveau au village,
je vous invite tous
à ma fête samedi !

Et bla-bla-bli et bla-bla-bla...
Le bruit court qu'après la fête,
Manok les emmène faire un petit
tour sur sa planète !

Fin

Tu as aimé ?

Oui ?

Chouette alors !

Allez, maintenant,
on se détend !

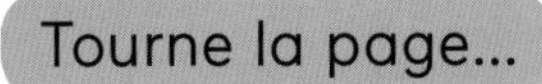

Comptine

À chanter sur l'air de *Ah ! vous dirai-je, Maman.*

Vous dirai-je mes amis
ce qui m'arrive aujourd'hui ?
Mon voisin est un géant
Il mange les petits enfants
Bla-bla-bli
et bla-bla-bla
C'est un ogre sûrement

À bientôt !

300, rue Léon-Joulin, 31101 Toulouse Cedex 9 - France
www.editionsmilan.com
Loi 49.956 du 16.07.1949 sur les publications
destinées à la jeunesse.
Dépôt légal : 2e trimestre 2015
ISBN : 978-2-7459-7186-9
Imprimé en France par Pollina - L71763F